Paul Martin

# DER VERSCHWUNDENE SCHATZ

Illustrationen von Camille Roy

EMF

EIN BUCH DER
EDITION MICHAEL FISCHER

# INHALT

# SO FUNKTIONIERT'S!

1

Lies den Anfang des Rätsels.

2

Schaue dir genau das Bild außen auf den Klappseiten an.

3

Öffne die Klappseiten und schaue dir das Bild innen genau an, damit du die ersten drei Fragen beantworten kannst. Lies dir die Beschreibung der Verdächtigen durch.

4

Anschließend kannst du die nächsten Fragen beantworten und die Ermittlungen abschließen.

5

Die Antworten und Lösungen zu den Rätseln findest du am Ende des Buches

FALL NR. 1

# DER SCHATZ VON MAC MIAU

Die berühmte Detektivin Agatha Crispie hat Katzhausen verlassen. Nach einer langen Reise kommt sie auf der Insel Glenncat an. Dort wird sie von ihrer Großtante, Mina Mac Miau, erwartet. Die alte Dame heißt sie vor ihrem alten Schloss willkommen.

**„Agatha! Da bist du ja endlich.“**

„Ich bin so schnell gekommen, wie ich konnte“, antwortet Agatha. „Was ist passiert?“

**Die alte Dame erklärt ihr: „Ich lag gestern Abend im Bett, es war 21 Uhr, als mein Diener mich rief: Er hatte einen ungebeten Gast bemerkt!“**

„Ist etwas gestohlen worden?“, fragt Agatha.

**„Ich glaube, der Dieb hat den legendären Schatz von Mac Miau entdeckt. Mein Urgroßvater hatte ihn im Schloss versteckt. Agatha, kannst du dieses Rätsel lösen?“**

„Hab keine Angst, Mina“, beruhigt Agatha sie. „Ich werde den Täter finden!“

UMBLÄTTERN UND ERMITTELN

# JETZT BIST DU DRAN!

**Schaue dir das Anwesen von innen und außen genau an, um folgende Fragen zu beantworten:**

**1**

Der Hausdiener Walter Mac Wuff ist sich sicher, dass alle Türen verschlossen waren. Der Dieb muss also irgendwie anders ins Schloss eingedrungen sein.
**Finde die drei Wege, die der Dieb benutzt haben kann, um ins Schloss zu gelangen.**

**2**

Mina Mac Miau weiß nur zwei Dinge zu dem Ort, an dem der Schatz gelegen haben soll: Er befand sich in einem Zimmer ohne Fenster und unter einem Ritter.
**Finde den Ort, an dem der Schatz versteckt war.**

**3**

Agatha entdeckt Haare, die der Dieb in der Nähe der Schatzkammer verloren hat.
**Finde die Haare, die der Dieb zurückgelassen hat.**

# DIE VERDÄCHTIGEN

Zum Zeitpunkt des Diebstahls haben sich nur vier Personen auf der Insel Glenncat aufgehalten.

### FIONA FOX
WANDERIN

Ich bin auf die Insel gekommen, um Urlaub zu machen. Ich habe mit dem Ganzen nichts zu tun!

### ROBERT REINWOLL
MINAS NACHBAR

Das ist ein sagenumwobener Schatz. Niemand hat ihn jemals gesehen!

### SIGGI STIER
BAUER

Es scheint so, als wenn es sich bei diesem Schatz um Edelsteine handelt. Damit könnte ich in Rente gehen, doch leider weiß ich nicht, wo er liegt.

### SALLY SHETLAND
SCHATZSUCHERIN

Meinen Recherchen zufolge befand sich der Schatz von Mac Miau in einem blauen Metallkoffer. Aber ich bin keine Diebin!

# DER ZEUGE

### WALTER MAC WUFF
HAUSDIENER

Ich bin gerade aus dem Keller gekommen, wo ich ein Glas Tomatensoße fallen gelassen hatte, als ich draußen ein Geräusch hörte. Da es neblig war, konnte ich nur die Umrisse einer Person erkennen, die mit einem Rucksack auf dem Rücken durch den Park ging.

UMBLÄTTERN UND DIE ERMITTLUNGEN ABSCHLIESSEN

# DIE ERMITTLUNGEN GEHEN WEITER!

**4**

**Wo hat der Dieb die Schatzkiste versteckt?**
Der Dieb hat die Schatzkiste zurückgelassen, damit sie ihn nicht behindert. Wo hat er sie versteckt? Suche nach Hinweisen in der Nähe.

**5**

**Wie ist der Dieb ins Schloss eingedrungen?**
Der Dieb konnte nur über einen Weg ins Schloss gelangen, ohne einem Zeugen zu begegnen.

**6**

**Wer ist der Dieb?**
Die Spuren lassen einen Verdächtigen ausschließen. Der Weg, über den der Dieb sich Zugang verschafft hat, lässt einen anderen Verdächtigen ausschließen. Die Hinweise neben der Schatzkiste lassen einen dritten ausschließen.

**BRAVO!**

Hast du den Täter gefunden? Oder gibst du dich geschlagen? Auf Seite **70** findest du die Lösung.

FALL NR. 2

# UNERLAUBTE GESCHÄFTE AUF DEM MARKT VON DUDUSEHNI

Agatha Crispie kommt in Dudusehni an, eine große Stadt in Afrika. Sie ist auf der Jagd nach einem Händler, der unerlaubte Geschäfte mit Stoßzähnen treibt.

**Bei ihrer Ankunft ist es 18 Uhr. Alma Antilope von der Weltorganisation für Naturschutz kommt, um Agatha zu treffen.**

„Agatha! Der Händler ist vor einer Viertelstunde gewarnt worden, dass du kommst! Er hatte gerade noch genug Zeit, um sich aus dem Staub zu machen!"

**„Es ist nie zu spät zum Handeln!", antwortet Agatha Crispie. „Erst einmal müssen wir die Stoßzähne finden, bevor der Händler sie verschwinden lässt!"**

UMBLÄTTERN UND ERMITTELN

LEOS IMBISS

# JETZT BIST DU DRAN!

Schaue dir den Markt von innen und außen genau an, um folgende Fragen zu beantworten:

**1**

Der Händler hatte genug Zeit, die Stoßzähne verschwinden zu lassen.
**Finde die sieben Stoßzähne, die er auf dem Markt versteckt hat.**

**2**

Die Stoßzähne wurden in zwei Gegenständen versteckt.
**Finde heraus, von welchem Stand diese Gegenstände stammen.**

**3** Agatha befragt den Verkäufer dieses Standes. Er beschreibt ihr den Händler, der bei ihm den Gegenstand gekauft hat: Dieser trägt einen grünen Hut und eine Brille, aber der Verkäufer kann sich nicht mehr an sein Gesicht erinnern.
**Vier Personen passen auf diese Beschreibung: Finde sie!**

IBA HIPPO
Ihr Bürgermeister
KUB DORÉ
LIM

Heute
17h-18h
KAMPF
SAM
GORILLA

# DIE VERDÄCHTIGEN

Agatha Crispie hat vier Männer ausfindig gemacht, die auf die Beschreibung des Standbesitzers passen.

## SAM GORILLA
RINGER

Ich bin gerade erst auf dem Markt angekommen. Vorher hatte ich einen Ringkampf. Den habe ich natürlich gewonnen!

## ALI LÖWE
KÜNSTLER

Ich habe eine Stunde damit zugebracht, dieses Porträt von der Tochter des Bürgermeisters Iba Hippo zu malen. Er wird es gleich abholen.

## KOFI CROCO
SAMMLER

Ich habe eine halbe Stunde damit zugebracht, mit dem Maskenhändler über diese Statue zu verhandeln.

## LEO PARD
KOCH

Ich bin gerade damit fertig geworden, an Zoes Touristengruppe Essen auszugeben.

# DIE ZEUGIN

## ZOE ZEBU
FAHRERIN DES ZZ-BUSSES

Meine Fahrgäste haben sich am Stand von Leo Pard etwas zu essen gekauft. Wir fahren um 18:10 Uhr weiter. Auf dem Markt bleiben wir nur eine halbe Stunde.

UMBLÄTTERN UND DIE ERMITTLUNGEN ABSCHLIESSEN

# DIE ERMITTLUNGEN GEHEN WEITER!

**4**

Sagen Sam Gorilla und Ali Löwe die Wahrheit?
**Suche auf dem Bild nach Hinweisen, um ihre Zeugenaussage zu überprüfen.**

**5**

Sagen Leo Pard und Kofi Croco die Wahrheit?
**Finde die beiden Personen, die ihre Zeugenaussagen bestätigen können.**

**6**

Wer ist der Händler, der unerlaubte Geschäfte treibt?
**Durch die Beantwortung der vorherigen Fragen kannst du drei der vier Verdächtigen ausschließen.**
**Der Täter ist derjenige, der übrigbleibt!**

**BRAVO!**

Hast du den Täter gefunden?
Oder gibst du dich geschlagen?
Auf Seite 71 findest du die Lösung.

FALL NR. 3

# RÄTSELRATEN IM LOKAL „CANTINA"

Agatha Crispie kommt ins Dorf San Mago. Dort trifft sie Frida Galopp, die Enkelin eines Goldgräbers namens Rico Yote.

**„Mein Großvater hatte eine Goldader gefunden, doch er ist gestorben, ohne preiszugeben, wo sich seine Goldmine genau befand", erklärt sie Agatha.**

Agatha ist bereit, Frida bei der Suche nach Ricos Goldmine zu helfen. Für ihre Ermittlungen reitet sie zum Lokal „Cantina De Antonio", dem Treffpunkt der Bewohner dieser Gegend.

**„Ich werde dort sicherlich auf alte Freunde deines Großvaters stoßen", sagt Agatha zu Frida.**

UMBLÄTTERN UND ERMITTELN

LAS PATATAS FRITAS
Vertigo

# JETZT BIST DU DRAN!

**Schaue dir das Lokal von innen und außen genau an, um folgende Fragen zu beantworten:**

**1**

Auf diesem Foto ist Rico Yote mit seinen besten Freunden zu sehen: Ramon Raubvogel, Linda Lama, Pedro Puma und Mark Mustang.
**Finde die vier Freunde von Rico in dem Lokal „Cantina".**

**2**

**Finde die vier Fahrzeuge von Ricos Freunden.**
Ihre Zeugenaussagen, ihre Kleidung und ihr Parkplatz können dir dabei behilflich sein.

**3**

Rico hatte eine Landkarte der Gegend gemalt. Sie ist fast nicht mehr zu erkennen.
**Finde den Ort, an dem sich Ricos gemalte Karte befindet.**

LUCHA LIBRE
Cinque

CANTINA DE ANTONIO

# DIE VERDÄCHTIGEN

Die vier Freunde von Rico sind nicht gerade zum Plaudern aufgelegt, doch Agatha gelingt es, ein paar Informationen aus ihnen herauszulocken.

## RAMON RAUBVOGEL

**RANCHBESITZER**

Rico Yote wohnte an der Straße zwischen meiner Ranch und dem Hof von Mark Mustang.

## PEDRO PUMA

**FISCHER**

Ricos Haus ist genauso rot, wie mein Haus, das am See liegt. Er sagte einmal, dass man nur mit meinem Fahrzeug seine Mine erreichen könnte.

## LINDA LAMA

**ZIEGENZÜCHTERIN**

Ich bin hergekommen, um meine Ziege auf dem Markt zu verkaufen. Wenn Rico zu seiner Mine fahren wollte, nahm er von sich zu Hause aus die Straße, die am Flughafen vorbeiführt.

## MARK MUSTANG

**BAUER**

Ich bin hier, um meine Wassermelonen zu verkaufen. Rico sagte einmal, dass seine Mine in einer Höhle liegen würde.

**UMBLÄTTERN UND DIE ERMITTLUNGEN ABSCHLIESSEN**

LUCHA LIBRE

# DIE ERMITTLUNGEN GEHEN WEITER!

**Agatha hat Ricos Landkarte entdeckt …**

**4** **Finde die vier Orte, an denen Ricos Freunde wohnen.**
Die Hinweise auf ihren Kleidungsstücken und Fahrzeugen können dir dabei behilflich sein.

**5** **Finde heraus, wo Rico wohnte.**
Die Zeugenaussagen von Ramon und Pedro können dir dabei behilflich sein.

**6** Wo liegt Ricos Goldmine?
**Starte an seinem Haus und folge den Hinweisen von Pedro, Linda und Mark.**

**BRAVO!**

Hast du den Täter gefunden?
Oder gibst du dich geschlagen?
Auf Seite 72 findest du die Lösung.

FALL NR. 4

# DER VERMISSTE IM DSCHUNGEL

Agatha kommt mitten im riesigen Urwald des Amazonas an. Am Ufer des Flusses hat Rita Pir eine Schutzstation für bedrohte Tiere gegründet. Doch einer ihrer Schutzbefohlenen ist verschwunden!

**Die Direktorin Rita ist vollkommen durch den Wind, als sie die Detektivin begrüßt: „Es ist furchtbar! Gestern waren noch 14 Tiere in meiner Schutzstation, heute sind es nur noch 13! Das war bestimmt einer der Angestellten, da bin ich mir sicher! Er muss das Tier versteckt haben, bevor er es an einen Sammler verkaufen will."**

„Ich kümmere mich darum!", antwortet Agatha.

**Die Detektivin macht sich sofort auf die Suche nach dem fehlenden Tier und verspricht, den Verantwortlichen für den Diebstahl zu finden.**

UMBLÄTTERN
UND ERMITTELN

# JETZT BIST DU DRAN!

**Schaue dir die Schutzstation von innen und außen genau an, um folgende Fragen zu beantworten:**

**1** Von jeder Tierart gibt es in der Schutzstation zwei. Agatha muss herausfinden, welches Tier alleine ist. In der Schutzstation befinden sich 13 Tiere:
**Finde das Tier, von dem es nur eins gibt.**

**2** **Wo befindet sich das Tier, das verschwunden ist?** Das ist der Gefährte des Tieres, das es nur einmal gibt! Derjenige, der es geklaut hat, muss es irgendwo in der Umgebung versteckt haben ...

**3** Der Dieb hat Spuren in der Nähe des Tieres hinterlassen.
**Finde einen Hinweis dort, wo das Tier versteckt wurde.**

zzz

# DIE VERDÄCHTIGEN

**Neben Rita Pir arbeiten noch vier Angestellte in der Schutzstation.**

## NILS NASENBÄR
**TIERPFLEGER**

So etwas würde ich nie tun! Dafür liebe ich die Tiere viel zu sehr. Ganz besonders die Spinnen, die in meinem Zimmer leben.

## LEO GUAN
**KOCH**

Es ist schon eine Menge Arbeit, für alle Tiere das Essen zuzubereiten. Nachts brauche ich meinen Schlaf!

## GRETA GÜRTEL
**TIERÄRZTIN**

Ich bin verantwortlich für die Tiere der Schutzstation! Ich opfere ihnen meine gesamte Zeit: Ich schlafe sogar neben dem Krankenzimmer.

## ANNI ÄFFCHEN
**TECHNIKERIN**

Ich bin die, die alles in der Schutzstation repariert. Und die Tiere verursachen häufig Schäden! Zur Entspannung mache ich Musik.

# DIE ZEUGIN

## RITA PIR
**DIREKTORIN DER SCHUTZSTATION**

Das Tier ist verschwunden, als alle bereits schlafen gegangen waren. Die Eingangstür war abgeschlossen, der Täter ist durch das Fenster entkommen. Ich habe nur Leo in seinem Zimmer unter mir schnarchen gehört, sonst hat mich nichts gestört.

**UMBLÄTTERN UND DIE ERMITTLUNGEN ABSCHLIESSEN**

# DIE ERMITTLUNGEN GEHEN WEITER!

**4**

Der Täter hat einen Gegenstand verwendet, um das Tier bis zu seinem Versteck zu bringen. **Finde diesen Gegenstand.**

**5**

**Finde heraus, welches Zimmer jedem Verdächtigen gehört.**
Denke daran, dass eines der Zimmer von Rita Pir, der Direktorin, genutzt wird.

**6**

**Finde heraus, wer das Tier geklaut hat.**
Der Hinweis und der Ort, an dem sich der verwendete Gegenstand befindet, verraten, wer der Täter ist.

**BRAVO !**

Hast du den Täter gefunden?
Oder gibst du dich geschlagen?
Auf Seite 73 findest du die Lösung.

FALL NR. 5

# DAS GEHEIMNIS DES ANGORATEMPELS

Auf ihrer Rundreise macht Agatha Crispie einen Abstecher zum wunderschönen Angoratempel. Sie wird von Leander Luchs begrüßt, einem Bewohner des nahegelegenen Dorfes.

**„Herzlich willkommen im Angoratempel, Agatha! Was führt dich zu uns?"**

Agatha seufzt: „Oh, ich bin endlich einmal nur so unterwegs! Ich möchte mich zwischen zwei Fällen einfach nur ausruhen ..."

**Leander Luchs lächelt und antwortet: „Dann bist du hier genau richtig! Die Mönche, die in diesem Tempel leben, haben ein Geheimnis, das dir dabei helfen wird. Wenn du aufmerksam bist, wirst du es entdecken ..."**

„Schon wieder Arbeit", sagt Agatha. „Aber ich bin gespannt, das Geheimnis zu lüften!"

**UMBLÄTTERN UND ERMITTELN**

# JETZT BIST DU DRAN!

Schaue dir den Tempel von innen und außen genau an, um folgende Fragen zu beantworten:

**1**

Leander erklärt Agatha, dass die Antwort von drei gleichen Statuen geliefert wird: Freude und Schönheit stehen außerhalb des Tempels, Weisheit innen im Tempel.
**Finde diese drei gleichen Statuen.**

**2**

Weisheit ist die einzige dieser Statuen, die im Tempel steht.
**Zähle, wie viele Fledermäuse sich in demselben Raum wie Weisheit befinden, und merke dir diese Zahl.**

**3**

Die Schlange Chaga hat genauso viele Köpfe wie die Zahl, die du suchst.
**Finde die Statue der Schlange Chaga.**

# DIE WEISEN

Vier Mönche meditieren gerade im Angoratempel. Als Agatha ihnen begegnet, kommen nur diese wenigen Worte über ihre Lippen:

**SHASHAR TREU**
**MÖNCHSKATZE**

Güte
Gelassenheit
Weisheit

**SHACIA MOU-AH**
**MÖNCHSKATZE**

Freude
Ruhe
Innehalten

**SHAONG GORA**
**MÖNCHSKATZE**

Meditation
Gebet
Brüderlichkeit

**SHADGOU TI-AIR**
**MÖNCHSKATZE**

Erleuchtung
Demut
Ehrfurcht

**UMBLÄTTERN UND DIE ERMITTLUNGEN ABSCHLIESSEN**

# DIE ERMITTLUNGEN GEHEN WEITER!

**4**

**Finde die beiden Mönche, mit deren Hilfe das Geheimnis des Tempels gelüftet werden kann.**
Es sind die beiden in der Nähe vom Schwanz der Schlange Chaga.

**5** **Schreibe in die Felder jeweils die ersten Buchstaben der drei Worte dieser beiden Mönche.**
Fange bei dem dickeren der beiden Mönche an.

**6**

Welches ist laut den Mönchskatzen im Tempel das Geheimnis, um glücklich zu sein?
**Lies das Wort laut vor, das aus den sechs Buchstaben gebildet wird.**

**BRAVO !**

Hast du das Geheimnis gelüftet? Oder gibst du dich geschlagen? Auf Seite 74 findest du die Lösung.

FALL NR. 6

# DER PALAST DER KAMPFKÜNSTE

Agatha macht Halt in Chagai, der Hauptstadt der Kampfkünste.
Dort treffen alle sieben Jahre die bedeutendsten Kampfsportler aufeinander, um herauszufinden, wer der Beste von ihnen ist.

**Doch als die Detektivin ankommt, wird das Turnier gerade abgesagt.**

Der Veranstalter, Pan-Da Roth, erklärt Agatha: „Es ist eine Katastrophe: Vier Wettkämpfer sind verschwunden! Ich hoffe, dass sie sich einfach nur verspätet haben, aber ich befürchte, dass sie entführt wurden, um sie an der Teilnahme am Turnier zu behindern."

**„Ich werde mein Bestes geben, um sie wiederzufinden und um herauszufinden, wer dem Turnier einen Strich durch die Rechnung machen will!", verspricht Agatha.**

UMBLÄTTERN
UND ERMITTELN

# JETZT BIST DU DRAN!

Schaue dir den Palast der Kampfkünste von innen und außen genau an, um folgende Fragen zu beantworten:

**1**

Vier Wettkämpfer sind nicht zu ihrem Kampf erschienen. Das sind ihre Fotos.

Ali Hippo

Shiro Stier

Nele Fant

Sebastian Biber

**Finde diese vier Vermissten auf dem Bild.**

**2**

Alle Vermissten tragen eine Nummer auf ihrem Anzug. Diese besagt, in welcher Reihenfolge die Wettkämpfer antreten sollten.
**Schreibe die Zahl jedes Vermissten in das Feld unter seinem Bild.**

**3**

**Finde auf dem Bild die vier Wettkämpfer, die gegen die Vermissten antreten sollten.**
Diese Wettkämpfer tragen dieselbe Nummer wie die Vermissten.

TICKETS
VORMITTAGS
8h
9h
10h
11h
1
2
3
4

13:40
NACHMITTAGS
14h
15h
16h
17h
?
?
?
?
5
6
7
8

# DIE VERDÄCHTIGEN

Das sind die vier Wettkämpfer, die gegen die Vermissten antreten sollten. Sie hatten ein Interesse daran, ihre Gegner auszuschalten.

### IGOR GORILLA

**WETTKAMPF NR. 5**

Ich warte auf meinen Gegner! Wenn er nicht kommt, Pech für ihn, dann werde ich zum Sieger erklärt.

### TIM TIGER

**WETTKAMPF NR. 8**

Mein Kampf findet erst um 17 Uhr statt. Ich hoffe, dass mein Gegner, Nele Fant, bis dahin wieder gesund ist!

### HELGA HENNE

**WETTKAMPF NR. 6**

Ich habe mich in der Damenumkleide umgezogen. Mir ist dort nichts Ungewöhnliches aufgefallen.

### BILL BISON

**WETTKAMPF NR. 3**

Ich habe etwas am Buffet für Pflanzenfresser gegessen. Die Fleischfresser haben dort keinen Zutritt, sie haben ihren eigenen Bereich!

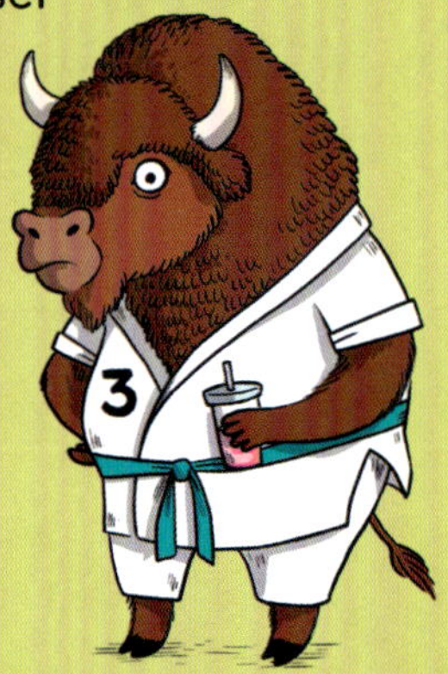


# DER ZEUGE

### DOKTOR WARAN

Die Opfer haben den Saft dieser Frucht, der Paraschmackfrucht, zu sich genommen. Davon haben sie furchtbare Bauchschmerzen bekommen und sind krank geworden! Irgendjemand muss ihn in ihr Essen gegeben haben.

UMBLÄTTERN UND DIE ERMITTLUNGEN ABSCHLIESSEN

8
6

# DIE ERMITTLUNGEN GEHEN WEITER!

**4**

Agatha fragt sich, woher die Frucht stammt, mit der die Vermissten vergiftet wurden.
**Wo hat der Täter die Paraschmackfrüchte gefunden, um die Opfer zu vergiften?**

**5**

In welchem Raum hat der Täter den Saft der Paraschmackfrucht ins Essen getan?
**Finde heraus, wo die Opfer gegessen haben.**

**6**

Wer ist der Giftmischer?
**Finde heraus, wer an die Frucht herankommen und sie ins Essen der Opfer getan haben konnte. Schließe den Verdächtigen aus, der seinen Wettkampf bereits verloren hat.**

**BRAVO !**

Hast du den Täter gefunden?
Oder gibst du dich geschlagen?
Auf Seite 75 findest du die Lösung.

FALL NR. 7

# PIRATENFISCHEREI AUF PAPATE PAPENA

Agatha Crispie ist über den Pazifischen Ozean bis zur Insel Papate Papena gereist, auf der es echte lebende Schätze gibt! Einige der hier lebenden Fische sind weltweit einzigartig. Doch ein skrupelloser Taucher fängt diese Tiere, um sie im Internet an Sammler zu verkaufen.

**Wai Kiwi, das Dorfoberhaupt, berichtet: „Es ist unmöglich zu wissen, wer diese geschützten Tierarten fängt! Wir wissen nur, dass sie oder er die Fische vor zwei Tagen mit dem Postschiff verschickt hat."**

Agatha steigt schnurstracks in ihr kleines U-Boot, um an den Korallenriffen mit ihren Ermittlungen zu beginnen.

**UMBLÄTTERN UND ERMITTELN**

10
20
30
40
50

# JETZT BIST DU DRAN!

**Schaue dir die Bilder innen und außen auf den Klappseiten genau an, um folgende Fragen zu beantworten:**

**1**

Agatha sucht zunächst die geschützten Fischarten in der Lagune.
**Finde heraus, wo in der Lagune diese fünf geschützten Tierarten leben.**

**2**

Einer dieser fünf Fische ist gerade gefangen worden. Wo hat der Täter ihn versteckt?
**Finde den Fisch, der sich nicht mehr im Meer befindet.**

**3**

In der Nähe dieses Fisches hat der Piratenfischer Spuren hinterlassen.
**Finde die Fußabdrücke des Täters.**

GESCHÜTZTE FISCHARTEN
A
B
C
D
E
TAUCH-
CLUB

# DIE VERDÄCHTIGEN

Nur vier Personen haben in letzter Zeit die Dienste des Postschiffs in Anspruch genommen, mit dem die Fische an Sammler verkauft werden konnten.

## DORA DODO

**DIREKTORIN DES TAUCHCLUBS. GEBOREN AUF PAPATE**

Ich probiere meinen Taucheranzug aus, mit dem man über 50 Meter tief tauchen kann.

## POSSY O'POSSUM

**TOURIST**

Ich bin einmal um die ganze Welt gereist, um die Schönheiten dieser Insel zu sehen, nicht um sie auszuplündern! Ich bin Mitglied des Tauchclubs. Nur Mitglieder haben Zugang zum Club.

## SADI SCHILDKRÖTE

**FISCHER. GEBOREN AUF PAPATE**

Ich mache nur Apnoetauchen, also ohne Sauerstoffflaschen. Deshalb kann ich höchstens bis zu einer Tiefe von 15 Metern tauchen.

## ALBA TROS

**WISSENSCHAFTLERIN. GEBOREN AUF PAPATE**

Ich nutze meinen Tauchanzug, mit dem ich bis zu 30 Meter tief tauchen kann, um seltene Tierarten zu erforschen.

# DER ZEUGE

## WAI KIWI

**DORFOBERHAUPT**

Ich bin verantwortlich für das Haus der Ahnen, das am Strand liegt: Ich lasse nur diejenigen dort hinein, die auf der Insel geboren sind.

UMBLÄTTERN UND DIE ERMITTLUNGEN ABSCHLIESSEN

GESCHÜTZTE FISCHARTEN
A
B
C
D
E

# DIE ERMITTLUNGEN GEHEN WEITER!

**4**

Anhand der Spuren kann einer der Verdächtigen ausgeschlossen werden: Wer?
**Schaue dir die Spuren in der Nähe des Fisches und die unterschiedlichen Verdächtigen genau an.**

**5**

Der Ort, an dem sich der gefangene Fisch befindet, schließt einen weiteren Verdächtigen aus: Wen?
**Die Zeugenaussage von Wai Kiwi ist hier wichtig.**

**6**

**Wer ist der Dieb?**
Der Ort, an dem der Fisch gefangen wurde, lässt einen der beiden letzten Verdächtigen ausschließen. Der Piratenfischer ist also derjenige, der übrig bliebt.

**BRAVO!**

Hast du den Täter gefunden? Oder gibst du dich geschlagen?
Auf Seite **76** findest du die Lösung.

FALL NR. 8

# DIEBSTAHL IN DER POLARSTATION ICE-ICE

Agatha ist über das Packeis bis zur Polarstation Ice-Ice gereist. Ein wertvolles Stück Gestein ist dort gestohlen worden.
Stella Seeschwalbe, die Direktorin der Polarstation, hat sie dringend zu Hilfe gerufen.

**Sie erklärt Agatha: „Das verschwundene Stück Gestein ist ein Frigolitkristall. Er sieht wie ein großer blauer Diamant aus. Dieses Mineral schmilzt, wenn es über 15 Grad warm ist! Es wurde im Gefrierschrank des Labors 3 aufbewahrt. Keiner hat seit dem Diebstahl die Basis verlassen. Der Frigolitstein muss sich also auf jeden Fall noch im Gebäude oder in der Nähe befinden."**

„Ich werde ihn wiederfinden und den Dieb dingfest machen!", sagt Agatha.

**UMBLÄTTERN UND ERMITTELN**

18
-04
18
21
LABOR1
22
21
14
-21

# JETZT BIST DU DRAN!

**Jetzt bist du dran! Schaue dir die Station von innen und außen genau an, um folgende Fragen zu beantworten:**

**1**

**Finde den einzigen echten Frigolitkristall auf dem Bild.** Denke daran, dass Frigolit ab 15 Grad schmilzt.

**2**

Auf welchem Weg hat der Dieb den Frigolit bis zu seinem Versteck gebracht, ohne dass er schmilzt?
**Schaue dir die Temperaturanzeigen in den einzelnen Räumen genau an.**

**3**

Vier Spuren deuten darauf hin, dass Personen die Basis verlassen haben.
**Ordne die Spuren dem jeweiligen Fortbewegungsmittel zu …**

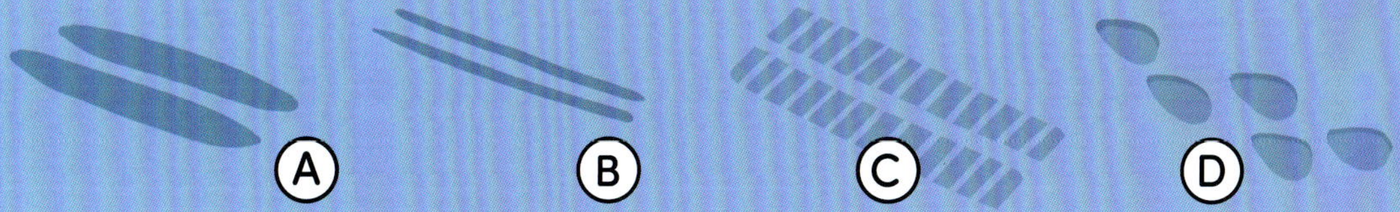

ICE-ICE
-34

ICE-ICE
-30
G

# DIE VERDÄCHTIGEN

**Nur vier Personen haben am Morgen des Diebstahls die Polarstation verlassen.**

## RENA ROBBE
**ZOOLOGIN**

Ich habe eine Stunde lang die Pinguinkolonie auf dem Hügel fotografiert. Danach habe ich mit Mischka Karten gespielt.

## MISCHKA BÄR
**METEOROLOGE**

Ich habe in der Wetterstation zwischen 10:20 Uhr und 10:25 Uhr Aufzeichnungen gemacht.

## FRIEDA WEISSFUCHS
**TECHNIKERIN**

Ich bin rausgegangen, um den Stromgenerator vor der Station zu überprüfen.

## WALTER WALROSS
**MECHANIKER**

Ich habe eines der Fahrzeuge getestet, um zu überprüfen, ob die neuen Ketten gut funktionieren.

# DIE ZEUGIN

## STELLA SEESCHWALBE
**DIREKTORIN DER POLARSTATION**

Um 10:30 Uhr befanden sich die Frigolitkristalle im Gefrierschrank. Ich habe das Labor verlassen und abgeschlossen. Als ich mittags zurückkam, war die Tür immer noch verschlossen, aber einer der Kristalle war verschwunden!

**UMBLÄTTERN UND DIE ERMITTLUNGEN ABSCHLIESSEN**

12
LABOR 2
LABOR3
-60
-40
-20
-20
11
18
09
09
17
18
GL

# DIE ERMITTLUNGEN GEHEN WEITER!

**4**

Auf welchem Weg ist der Dieb ins Labor gelangt?
**Einen der Verdächtigen kannst du dadurch ausschließen.**

**5**

**Finde heraus, welche Spur zu den einzelnen Verdächtigen gehört.**
Lies dir die Zeugenaussagen der Verdächtigen gut durch.

**6**

**Finde heraus, wer den Frigolit gestohlen hat!**
Schaue dir die Spuren genau an, um herausfinden, welche zu der Stelle führen, an der der Dieb ins Labor eingedrungen ist.

**BRAVO !**

Hast du den Täter gefunden? Oder gibst du dich geschlagen? Auf Seite 77 findest du die Lösung.

# LÖSUNGEN

# DER SCHATZ VON MAC MIAU

**1**

**Finde die drei Wege, die der Dieb benutzt haben kann, um ins Schloss zu gelangen.**
Der Täter konnte in den rechten Turm durch das Loch gelangen, das man von innen in der Mauer sieht. Er konnte auch über die Hütte links vom Schloss über die Treppe, die in den Keller führt, hineinkommen. Auch durch das kaputte Fenster im linken Turm konnte er ins Schloss gelangen.

**2**

**Finde den Ort, an dem der Schatz versteckt war.**
Der einzige Raum, der keine Fenster hat und wo ein „Ritter" zu sehen ist, liegt im ersten Stockwerk des linken Turms: Der Schatz befand sich im Schränkchen unter dem Ritterbild.

**3**

**Finde die Spuren des Diebes.**
Vor dem Schränkchen liegen rote Haare auf dem Boden.

**4**

**Wo hat der Dieb die Schatzkiste versteckt?**
Die Kiste ist im Ententeich versteckt.

**5**

**Wie ist der Dieb ins Schloss eingedrungen?**
Um über den Keller oder den rechten Turm in die Schatzkammer zu gelangen, hätte der Dieb durch Minas Zimmer gehen müssen. Aber sie war dort drinnen und hat niemanden gesehen! Der Dieb ist also durch das kaputte Fenster im linken Turm eingestiegen.

**6**

Die roten Haare lassen Robert Reinwoll ausschließen, der weiße Haare hat. Siggi Stier kommt beim kaputten Fenster als Täter nicht infrage, da er zu dick ist, um durch das Fenster zu passen. Am Teich, wo die Kiste versteckt ist, sind Fußspuren zu sehen, die Sally Shetland mit ihren Schuhen ohne Absätze ausschließen lassen. Der Täter ist also Fiona Fox!

# UNERLAUBTE GESCHÄFTE AUF DEM MARKT VON DUDUSEHNI

**1**

**Finde die sieben Stoßzähne, die auf dem Markt versteckt wurden.**

**2**

**Finde heraus, von welchem Stand diese Gegenstände stammen.**
Die Stoßzähne liegen in Körben, die von dem Stand stammen, der sich im Markt im ersten Stock rechts befindet.

**3**

**Vier Personen passen auf diese Beschreibung: Finde sie!**

**4**

**Sagen Sam Gorilla und Ali Löwe die Wahrheit?**
Auf einem Plakat steht, dass der Ringkampf von Sam Gorilla bis 18 Uhr ging. Ihm fehlte also die Zeit, um die Stoßzähne vor Agathas Ankunft zu verstecken. Die Tochter des Bürgermeisters Iba Hippo ist bei ihrem Vater, der ein Porträt von ihr in der Hand hält. Das bestätigt Ali Löwes Aussage.

**5**

**Sagen Leo Pard und Kofi Croco die Wahrheit?**
Zoe Zebu sagt, dass ihre Kunden 30 Minuten, bis 18:10 Uhr, bleiben. Das heißt, dass sie seit 17:40 Uhr dort sind. Sie waren also die gesamte Viertelstunde vorher bei Leo Pard. Kofi Croco spricht indessen von einem Maskenhändler, doch der Stand mit den Masken gehört einer Frau!

**6**

**Wer ist der Händler, der unerlaubte Geschäfte treibt?**
Sam Gorilla, Ali Löwe und Leo Pard haben alle ein gutes Alibi. Kofi Croco hat gelogen. Er ist der Täter!

# RÄTSELRATEN IM LOKAL „CANTINA“

**1**

**Finde die vier Freunde von Rico in dem Lokal „Cantina“.**

**2**

**Finde die vier Fahrzeuge von Ricos Freunden.**

- Auf dem Pick-up von Ramon Raubvogel ist der Stern seiner Ranch zu sehen.
- Pedro Puma hält ein Paddel in der Hand, das er für sein Boot benötigt.
- Linda Lama ist gekommen, um ihre Ziege zu verkaufen, die auf ihrem Pick-up steht.
- Marc Mustang will seine geernteten Wassermelonen verkaufen. Sein ganzer Wagen ist damit beladen.

**3**

**Finde den Ort, an dem sich die von Rico gemalte Karte befindet.**

Man sieht sie an der Wand hinter den Musikern.

**4**

**Finde die vier Orte, an denen Ricos Freunde wohnen.**

Die Ranch mit dem Stern von Ramon Raubvogel liegt oben links. Lindas Ziegenstall unten rechts. Der Hof von Mark Mustang mit den Wassermelonen ist unten links. Das rote Haus von Pedro Puma liegt am Ende des Flusses, es ist also das Haus am See.

**5**

**Finde heraus, wo Rico wohnte.**

Ricos Haus liegt an der Straße zwischen der Ranch mit dem Stern und dem Hof mit den Wassermelonen. Es ist rot wie Pedros Haus. Es ist also das rote Haus links bei den Palmen.

**6**

**Wo liegt Ricos Goldmine?**

Marcs Aussage zufolge liegt Ricos Mine in einer Höhle. Von Linda erfahren wir, dass man dorthin gelangt, indem man die Straße nimmt, die östlich von Ricos Ranch beginnt. Dadurch scheiden die beiden ganz im Westen gelegenen Höhlen aus. Pedro berichtet uns, dass man ein Boot braucht, um die Mine zu erreichen. Sie befindet sich also in der Höhle auf der Insel, die im Osten liegt.

# DER VERSCHWUNDENE IM DSCHUNGEL

**1**

**In der Schutzstation befinden sich 13 Tiere: Finde das Tier, von dem es kein Paar gibt.**
Das einzige Tier in der Schutzstation, das keinen Gefährten derselben Tierart hat, ist in der Küche: Es ist das Faultier, das am Regal hängt.

**2**

**Wo befindet sich das Tier, das verschwunden ist?**
Das andere Faultier sitzt im Gebüsch auf der kleinen Insel rechts.

**3**

**Finde einen Hinweis dort, wo das Tier versteckt wurde.**
Auf der kleinen Insel gibt es eine Spur mit vier Zehen.

**4**

**Welchen Gegenstand hat der Täter verwendet, um das Tier bis zu seinem Versteck zu bringen?**
Um zur Insel zu gelangen, wurde ein Boot benötigt. In der Werkstatt unten rechts liegt eins.

**5**

**Finde heraus, welches Zimmer jedem Verdächtigen gehört.**
Nils Nasenbär schläft in dem Zimmer mit den Spinnen ganz oben rechts. Greta Gürtel schläft neben dem Krankenzimmer, also oben links. Anni Äffchen schläft in dem Zimmer mit der Gitarre unten rechts. Zwei Zimmer bleiben übrig: Rita Pir schläft über Leo Guan, Ritas Zimmer liegt also im 1. Stock, und Leos Zimmer in der Mitte ganz unten.

**6**

**Finde heraus, wer das Tier geklaut hat.**
Anhand der Pfotenspur ist zu erkennen, dass der Täter vier Zehen hat. Es kann also weder Greta Gürtel sein, die drei Zehen hat, noch Leo Guan, der Schwimmhäute hat. Um das Boot zu nehmen und durch das Fenster zu entkommen, musste der Dieb in die Werkstatt gelangen, ohne Rita Pir dabei zu stören: Es kann also nicht Nils Nasenbär sein, der durch ihr Zimmer hätte gehen müssen. Die Täterin ist also Anni Äffchen!

# DAS GEHEIMNIS DES ANGORATEMPELS

**1**

**Finde die drei gleichen Statuen.**

**2**

**Zähle, wie viele Fledermäuse sich in demselben Raum wie Weisheit befinden, und merke dir diese Zahl.**
In dem Raum mit der Statue, die sich im Tempel befindet, gibt es drei Fledermäuse.

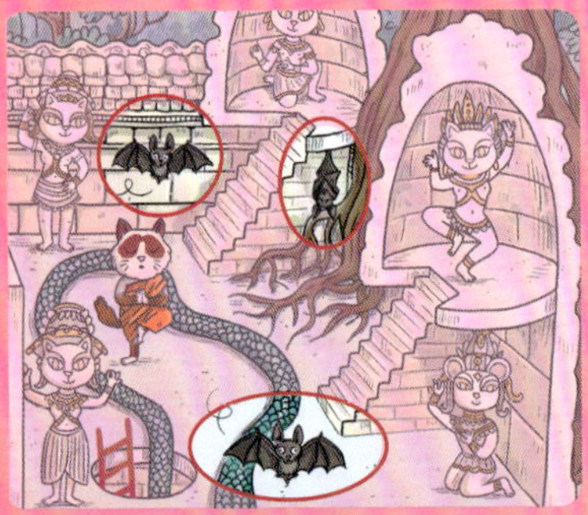

**3**

**Finde die Statue der Schlange Chaga.**
Es ist die Statue mit den drei Köpfen: Sie steht vor dem Tempel links.

**4**

**Finde die beiden Mönche, mit deren Hilfe das Geheimnis des Tempels gelüftet werden kann.**
Der Schwanz von Chaga führt an Shacia Mou-ah und Shadgou Ti-Air entlang.

**5**

**Entschlüssele die Worte der Mönche.**
Die ersten Buchstaben der beiden Mönche sind FRI und EDE.

# DER PALAST DER KAMPFKÜNSTE

**1**

**Finde diese vier Vermissten auf dem Bild.**

- Ali Hippo liegt draußen an die linke Treppe gelehnt.
- Nele Fant liegt im Trainingssaal links auf dem Boden.
- Shiro Stier befindet sich in der Krankenstation.
- Sebastian Biber ist in der Herrentoilette.

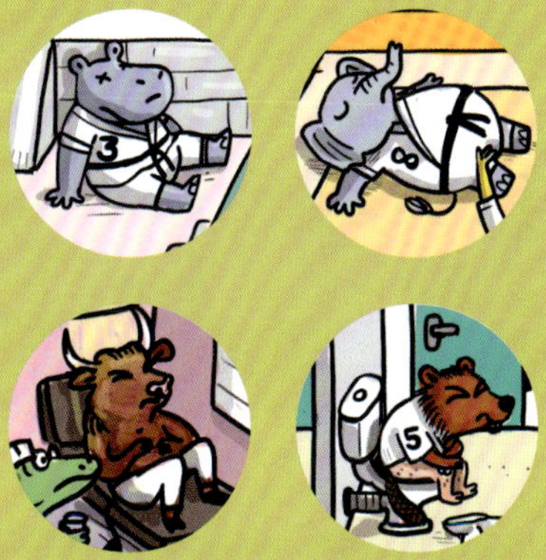

**2**

**Schreibe die vier Zahlen der Vermissten unter ihr Bild.**

Ali Hippo (3), Nele Fant (8), Shiro Stier (6), Sebastian Biber (5).

**3**

**Finde die vier Wettkämpfer, die gegen die Vermissten antreten sollten.**

Igor Gorilla (5), Tim Tiger (8), Helga Henne (6), Bill Bison (3).

**4**

**Wo hat der Täter die Paraschmackfrüchte gefunden, um die Opfer zu vergiften?**

Die Paraschmackfrüchte stammen von der Pflanze, die in der Herrenumkleide steht.

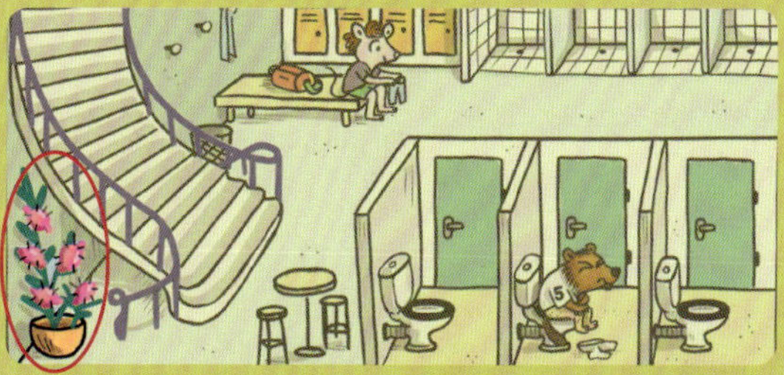

**5**

**In welchem Raum hat der Täter den Saft der Paraschmackfrucht ins Essen getan?**

Die Opfer sind alle Pflanzenfresser. Der Täter muss den Saft von der Paraschmackfrucht auf ein Gericht an ihrem Buffet im Raum oben links gegeben haben. Die Schalen hat er dann durch das offene Fenster auf das Dach geworfen.

**6**

**Wer ist der Giftmischer?**

Die Paraschmackfrucht stammt von der Pflanze in der Herrenumkleide. Helga Henne ist also unschuldig. Der Saft wurde auf ein Gericht am Buffet der Pflanzenfresser gegeben, zu dem Tim Tiger keinen Zutritt hatte. Auf der Anzeigetafel steht, dass Ali Hippo seinen Kampf gegen Bill Bison schon gewonnen hat. Igor Gorilla hat also den Anschlag verübt, um seinen Gegner, Sebastian Biber, auszuschalten.

# PIRATENFISCHEREI AUF PAPATE PAPENA

**1**

**Finde heraus, wo diese fünf geschützten Tierarten leben.**

**2**

**Finde den Fisch, der sich nicht mehr im Meer befindet.**
Ein Fisch der Tierart C befindet sich im Haus der Ahnen.

**3**

**Finde die Fußabdrücke des Täters.**
Abdrücke von Schwimmflossen sind im Haus der Ahnen zu sehen.

**4**

**Anhand der Spuren kann einer der Verdächtigen ausgeschlossen werden: Wer?**
Dora Dodo trägt einen Taucheranzug ohne Schwimmflossen, sie ist also nicht die Täterin.

**5**

**Der Ort, an dem sich der gefangene Fisch befindet, schließt einen weiteren Verdächtigen aus: Wen?**
Nur Personen, die auf der Insel geboren sind, haben Zutritt zum Haus der Ahnen. Possy O'Possum ist also nicht der Täter.

**6**

**Wer ist der Dieb?**
Der gefangene Fisch lebt in ungefähr 20 Metern Tiefe. Sadi Schildkröte, der ohne Sauerstoffgerät taucht, kommt nicht so tief nach unten. Die Täterin ist also Alba Tros!

# DIEBSTAHL IN DER POLARSTATION ICE-ICE

**1**

**Finde den Frigolitkristall auf dem Bild.**
Es gibt mehrere blaue Kristalle auf dem Bild, aber die Einzigen, die sich an einem Ort befinden, wo es unter 15 Grad warm ist, liegen auf dem Dach neben der Radaranlage.

**2**

**Auf welchem Weg hat der Dieb den Frigolit bis zu seinem Versteck gebracht, ohne dass er schmilzt?**
Der Dieb ist durch das kaputte, runde Fenster hinausgestiegen. Dann musste er durch die Garage wieder in die Station gelangen, nach oben in die Beobachtungsstation steigen, den Laufgang unterhalb des Daches nehmen, durch die kleine Tür nach außen treten und die Treppe zur Radaranlage hochsteigen.

**3**

**Finde heraus, welches Fortbewegungsmittel zu den vier Spuren passt.**

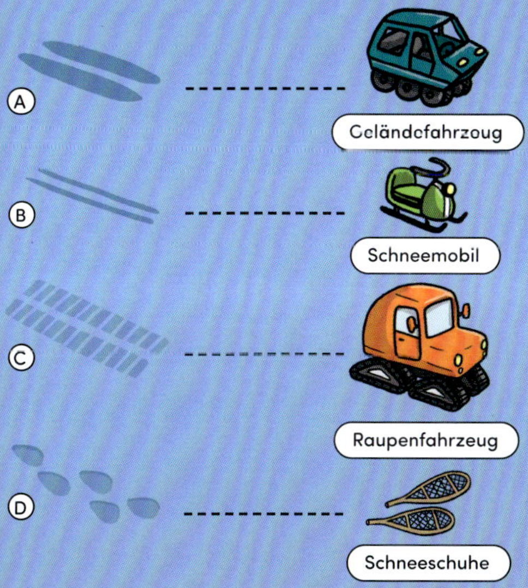


**4**

**Auf welchem Weg ist der Dieb ins Labor gelangt?**
Die Tür war zum Zeitpunkt des Diebstahls abgeschlossen. Der Dieb ist also durch das kaputte, runde Fenster eingedrungen. Das kann nicht Walter Walross gewesen sein, der zu dick ist, um durch das runde Fenster zu passen.

**5**

**Finde heraus, welche Spur zu den einzelnen Verdächtigen gehört.**
Rena Robbe hat die Pinguine beobachtet: Ihre Spur ist also die, die zum Hügel führt. Das sind die Fahrspuren des Geländefahrzeugs. Mischka Bär ist zu Fuß mit den Schneeschuhen zur Wetterstation gegangen. Frieda Weißfuchs hat den Generator überprüft. Sie hat dafür den Motorschlitten genommen. Walter Walross ist also mit dem Raupenfahrzeug gefahren.

**6**

**Finde heraus, wer den Frigolit gestohlen hat!**
Anhand der Spuren im Schnee ist zu erkennen, dass das Raupenfahrzeug und das Schneemobil am Labor vorbeigekommen sind. Der Täter ist also entweder Walter Walross oder Frieda Weißfuchs. Walter ist aber zu dick, um durch das kleine, runde Fenster zu passen!
Die Täterin ist also Frieda Weißfuchs.

# DER ERSTE FALL VON DETEKTIVIN AGATHA CRISPIE!

**Agatha Crispie und der gestohlene Koffer – Spurensuche in der Stadt**

ISBN 978-3-7459-0370-6
€12,99 (D) / €13,40 (A)

## IMPRESSUM

Bibliografische Information der Deutschen Bibliothek.

Die Deutsche Bibliothek verzeichnet diese Publikation in der Deutschen Nationalbibliografie.

Detaillierte bibliografische Daten sind im Internet über http://www.dnb.de/ abrufbar.



EIN BUCH DER EDITION MICHAEL FISCHER

1. Auflage 2021



Titel der Originalausgabe: Les petites énigmes à tous les étages – Autour du monde

Aus dem Französischen übertragen von Gesa Mattiesch, Hitzacker

Covergestaltung und Satz: Lena Albert

Lektorat: Vera Göckelmann

Produktmanagement: Mareike Schlensog, Vera Göckelmann

ISBN 978-3-7459-0371-3

Gedruckt bei C&C Offset Printing Co., LTD., 14/F, C&C Building, 36 Ting Lai Road, Tai Po, N. T. Hong Kong

www.emf-verlag.de